folio cadet
premiers romans

Pour Dimitri

François Place

Lou Pilouface

L'enlèvement du perroquet

GALLIMARD JEUNESSE

Boniface Pilouface
capitaine du Coriace
Aristide Megahertz
radio du bord
Titus Topinambour
chef mécano
Lou Pilouface
nièce du capitaine Pilouface

Ticho Dubayou
cuistot
Spidi Dimilwatt
matelot
Anastasie
meilleure amie de Lou

1

– Nom d'une lessiveuse à parapluie ! Je n'ai plus une chaussette au sec ! Aristide, que dit la météo ?

Cela fait maintenant dix jours et dix nuits que Boniface Pilouface, le capitaine du *Coriace*, affronte la pluie et la tempête.

– Demain, vent et pluie, répond Aristide, le radio du bord. Après-demain, pluie et vent.

– Nom d'une grenouille à trompette, ça ne finira donc jamais ? Demande à Ticho de nous préparer des crevettes « à la diable ». J'ai besoin de soleil au fond de l'estomac.

– Bien, chapitaine !

– Et va secouer ce fainéant de Titus. Dis-lui de pousser le moteur. On avance comme des escargots.

– Bien, chapitaine ! Tout de suite, chapitaine !

Aristide sort de la timonerie sous une pluie battante pour rejoindre la cuisine. Ticho Dubayou, le cuistot, est en train d'éplucher des patates.

– Des crevettes à la diable ? Et puis quoi encore ? Le frigo est vide ! Ça sera le même menu qu'hier : miettes de thon et patates à l'eau.

Aristide ressort sous la pluie, ouvre une autre porte et descend l'escalier de fer de la salle des machines.

– Titus ! Il faut augmenter la vitesse. Ordre du chapitaine.

– Impossible ! répond Titus Topinambour, le mécano, en essuyant ses mains noires de cambouis. On n'a presque plus de gazole dans le réservoir.

– Si ça continue, on sera bientôt obligés d'avancer à la rame, ajoute Spidi Dimilwatt, le matelot, appuyé à un tuyau.

– Mais qu'est-ce que je vais dire au chapitaine ? se lamente Aristide.

– Rien, tu lui dis rien ! intervient une petite voix. C'est moi qui vais lui parler.

Ça, c'est Lou Boniface, la nièce du capitaine, en train de jouer aux osselets avec son amie Anastasie. Lou et Anastasie voient toujours le bon côté des choses. Elles sont insensibles au mal de mer et elles adorent voyager en bateau. Le reste leur est égal.

Le Coriace se traîne et Boniface s'inquiète de tomber en panne. Il devra peut-être lancer un S.O.S. Un comble pour un capitaine de remorqueur de haute mer. D'habitude, c'est lui qui vole au secours des navires en détresse.

– Tonton Boniface !

Lou entre dans le poste de pilotage et fait un bisou rapide sur la joue de Boniface.

– Je t'ai dit mille fois de ne pas m'appeler « tonton ». Ici, c'est « capitaine » pour tout le monde. Où est Aristide ?

– Dans la salle des machines avec Titus, tonton Boniface.

Le Coriace escalade d'énormes vagues qui s'écroulent en déferlant sur le pont. Lou pousse un soupir.

– Qu'est-ce qu'il y a ? demande Boniface.

– Anastasie a lu dans les lignes de ma main.

– Il ne manquait plus que ça : elle sait lire dans les lignes de la main, maintenant.

– Oui. Elle prédit l'avenir.

– Et elles prévoient quoi, tes lignes de la main, pour la météo ?

– Rien.

– Et pour le gazole ?

– Rien non plus.

– Super !

– Anastasie dit que je vais bientôt revoir maman Paméla.

– Je ne vois pas comment, sauf si elle nous tombe dessus en parachute !

– Si maman Paméla nous tombe dessus en parachute, tu me garderas quand même, tonton Boniface ?

– Pas question. La place d'une petite fille n'est pas sur un remorqueur de haute mer.

Lou se met à bouder. Soudain, dans le creux d'une vague, elle aperçoit des lumières.

– Tonton Boniface, regarde ! On dirait un bateau.

– Nom d'une sardine à roulettes, tu as raison.

Boniface donne un tour de barre. *Le Coriace* se dirige vers le scintillement.

– Bigre ! siffle entre ses dents Boniface en prenant ses jumelles. Il est en difficulté, mais quel beau navire ! Illuminé comme un sapin de Noël !

À ce moment, Aristide pointe son bec pour l'avertir :

– Chapitaine ! J'ai reçu un appel de détresse. Navire en panne. Ça vient de ce grand bateau blanc devant nous. *Le Tiramisu.*

– Magnifique ! En avant, les enfants, allons-y !

Dans une manœuvre parfaite, *Le Coriace* se range le long de la coque du *Tiramisu.* Boniface Pilouface monte à son bord. Un commandant en grand uniforme lui tend la main.

– Ah ! mon cher. C'est la providence qui vous envoie ! s'exclame-t-il. Je suis Toni Belcanto, le propriétaire de ce navire. Nous

allons au Brésil, à Rio de Janeiro. Hélas ! nous venons de tomber en panne.

– Je vois, répond tranquillement Boniface. Si vous permettez, je vais descendre inspecter vos moteurs avec mon mécano.

– Je vous en prie, faites comme chez vous. Naturellement, je vous invite ensuite à déjeuner. Que désirez-vous ?

– Des crevettes à la diable, répond Lou en grimpant à son tour. Et un os de poulet pour Anastasie, s'il vous plaît, avec du ketchup.

– Parfait, chère petite mademoiselle. Je vais donner les ordres aux cuisiniers.

2

– Alors, qu'en pensez-vous? demande Toni Belcanto. On peut réparer?

Les deux capitaines sont attablés dans la grande salle à manger du *Tiramisu.*

– Pas en mer, répond Boniface Pilouface. C'est une luxation des soupapes. Et il faut vous mettre au régime.

– Je ne suis pas gros, s'étrangle Toni Belcanto.

– Pas vous, *Le Tiramisu.* Il a trop de gazole. Heureusement, j'ai de la place dans le réservoir, on va en prendre pour vous soulager. Je peux vous remorquer jusqu'à Rio. Je ne prends pas très cher : mille dollars par jour.

– Formidable! Merci colonel!

– Il n'y a pas de colonel dans la marine marchande. Je suis capitaine. Le capitaine Pilouface.

On passe une amarre entre *Le Tiramisu* et *Le Coriace.* Boniface est content. La tempête s'est calmée. Le réservoir est rempli. Les affaires reprennent. *Le Coriace,* à nouveau plein d'énergie, tire son compagnon de voyage. L'équipage profite de l'excellente cuisine du *Tiramisu*: croissants frais livrés le matin et repas de luxe apportés directement du restaurant midi et soir.

À bord du *Tiramisu,* Lou et Anastasie sont comme en vacances. La nuit, Anastasie s'amuse à effrayer les passagers dans les coursives en courant avec un épouvantable cliquetis d'osselets. Lou est sur ses talons, couverte d'un grand drap blanc. Trois personnes se sont déjà évanouies, mais c'est tellement amusant.

Un matin, Toni Belcanto demande à Boniface de le rejoindre à son bord. Il prend un air mystérieux en lui tendant le téléphone.

– Un appel pour vous. Une dame très distinguée qui prétend être votre sœur.

Boniface, les sourcils froncés, prend l'appareil.

– Allô ! C'est toi, Paméla ? Qu'est-ce qu'il y a ?

– Mon bon Boniface, je dois jouer au grand théâtre de New York dans une pièce magnifique, *La Fiancée du gondolier.* Tu te rends compte ? C'est une chance inouïe. C'est le rôle de ma vie.

– C'est magnifique, Paméla ! Je te félicite. Mais, pourquoi pleures-tu ?

– Je suis bloquée à Santa Cruz de Tenerife, viens vite me chercher !

– Ma pauvre Paméla, voyons, c'est impossible. Je ne vais pas à New York, je vais à Rio !

– Je savais que tu ferais encore ta mauvaise tête ! C'est toujours pareil ! Tu ne penses qu'à toi !

– Mais Paméla, mon petit chou, c'est un trop grand détour. On ne peut pas venir te chercher, voyons ! Je t'embrasse !

Boniface s'apprête à raccrocher, quand Toni Belcanto arrête son mouvement.

– Colonel, qui est cette Paméla ? Je crois avoir reconnu la voix de Paméla Diva.

– En effet, c'est son nom de scène.

– Paméla Diva ? *La* Paméla Diva ? Il faut aller la chercher !

– Et que faites-vous des passagers ?

– Je vais leur parler. Ils accepteront forcément. Vous vous rendez compte ? Paméla Diva ! Je rêve de la rencontrer.

3

À Santa Cruz de Tenerife, Paméla attend sur le quai, en robe rose et grand chapeau, devant une armée de porteurs chargés de trente-deux valises qu'elle emporte toujours en voyage. Et, bien sûr, avec Pipo, son perroquet.

– Hou, hou ! Boniface ! Hou, hou ! Lou chérie ! claironne Paméla en agitant les bras.

– Zut ! les ennuis commencent, grince Boniface.

Toni Belcanto se précipite pour accueillir la vedette. Il tient à lui faire visiter son palace flottant.

– Chère Paméla Diva, c'est un tel honneur de vous recevoir. Je vous ai réservé la

plus belle cabine. Installez-vous tranquillement. Je vous promets que vous arriverez à New York à la date voulue.

– C'est très aimable à vous, monsieur Belcanto, répond Paméla en ôtant ses gants. Vous êtes un parfait gentleman.

Sitôt l'embarquement terminé, *Le Coriace* reprend sa route en remorquant *Le Tiramisu.* Lou est très contente de revoir sa maman, mais elle regrette la fin des vacances. Elle n'a plus droit qu'à une heure de jeu avec Anastasie, et seulement quand elle a fini tous ses devoirs.

– Je n'aime pas beaucoup te voir jouer avec cette Anastasie ! Elle a une mauvaise influence sur toi !

– Mais maman Paméla, je m'ennuie.

– Elle n'est pas bien élevée, elle est toute maigre et elle ne dort pas assez. Elle joue à faire peur aux passagers. Je t'interdis de quitter cette cabine pour t'amuser avec elle après le dîner, c'est compris ?

– Oui, maman Paméla.

Paméla a raison : Anastasie ne dort pas assez. La nuit, elle passe son temps à hanter les couloirs. Et c'est ainsi qu'elle surprend une conversation entre deux sinistres individus : Gédéon Le Brutal, l'ennemi juré du

capitaine Pilouface, et Marius Tapobec, le roi des cambrioleurs.

– Il paraît que c'est à cause de cette Paméla Diva qu'on ne va pas à Rio. Tu la connais ? demande Marius.

– Si je la connais ? répond Gédéon. Évidemment ! C'est une grande actrice ! Elle a joué dans *Les trois tatoués de Tataouine* et dans *Castagnette à Palavas.*

– Elle est plus riche qu'un maharadjah. Tu as vu tous ses bagages ?

– Riche, je ne sais pas. Célèbre, à coup sûr. Elle sera la vedette de la future comédie musicale du grand théâtre de New York, *La fiancée du gondolier.*

– Ah ? Parce qu'elle croit qu'elle va jouer ? Si on veut bien, Gédéon. Seulement si on veut bien.

– Oh ! Toi, tu as une idée derrière la tête...

Les deux compères passent à côté d'Anastasie, qui a juste le temps de se cacher derrière une porte. Qu'est-ce que ces gredins complotent à bord du *Tiramisu* ? Le seul moyen de le savoir, c'est de les suivre discrètement, ce qui n'est pas aisé pour Anastasie, parce qu'elle se déplace toujours avec un léger cliquetis de squelette.

– Oh ! Marius ! Tu entends ?

– Quoi ? demande Gédéon.

– Ce bruit d'os. C'est bizarre…

Anastasie se plaque contre la paroi en retenant son souffle, ce qui est aussi très difficile, parce qu'il y a toujours un peu d'air qui passe à travers ses côtes en sifflant.

– Je n'entends rien d'autre qu'un petit sifflement. C'est bizarre…

– Bizarre. Tiens, tu as dit bizarre ? Comme c'est bizarre !

4

Madame, si vous voulez arriver à l'heure à New York, mettez vingt mille dollars dans l'enveloppe au fond de ce panier. À minuit, vous le déposerez à l'arrière du navire, entre la deuxième et la troisième chaloupe de sauvetage. Sinon, vous pouvez dire adieu à votre rôle dans La fiancée du gondolier.

Signé : un admirateur.

– Un admirateur, ça ? Un voyou, plutôt ! Un bandit, un vaurien ! s'indigne Paméla.

Furieuse, elle brandit la lettre qu'elle a découverte dans un panier à fleurs déposé pendant la nuit devant sa porte. Toni Belcanto parvient à la calmer.

– Confiez-moi cette enveloppe, chère Paméla, nous allons lui tendre un piège, à ce voyou.

À minuit pile, Paméla apporte le panier entre les deux chaloupes comme indiqué dans la lettre. Toni Belcanto a disposé quelques matelots sous les bâches des embarcations. Lui-même se cache à proximité. Personne ne vient.

Ils ne voient pas descendre l'hameçon attaché à un fil de pêche, qui accroche le panier.

À minuit et demi, le panier s'agite et s'élève d'un coup dans les airs. Une ombre l'attrape et s'enfuit aussitôt en courant. Elle disparaît dans les profondeurs du navire.

Cinq minutes plus tard, dans un recoin perdu au fond de la cale, l'ombre enlève son écharpe, son bonnet et ses gants. C'est Marius Tapobec, le roi des cambrioleurs. À côté de lui, Gédéon Le Brutal se frotte les mains :

– Vas-y, fais voir l'enveloppe !

Marius saisit l'enveloppe et la fait crisser entre ses doigts. Elle est pleine comme un œuf. Il l'ouvre et pousse un juron :

– Tonnerre de patate à voile ! Cette Paméla Diva s'est moquée de nous !

– Quoi !

– Elle a rempli l'enveloppe de papier journal !

– Ça ne va pas se passer comme ça ! Elle ne connaît pas Gédéon Le Brutal ! Elle n'est pas près d'arriver à New York !

Ils vont à l'avant du navire. À coups de hache, ils entament l'amarre qui relie *Le Tiramisu* à son remorqueur.

À une heure moins le quart, le cordage est coupé. *Le Tiramisu* s'arrête net. Devant lui, *Le Coriace* soudain libéré de sa charge se met à fendre les flots à toute vitesse.

– Nom d'un pipi de baleine ! Qui a mis de la dynamite dans le moteur ? tempête Boniface. Aristide, va voir ce qui se passe !

– Tout de suite, chapitaine !

Aristide descend à la salle des machines. Titus contrôle les cadrans d'un œil inquiet.

– Nom d'un clafoutis aux boulons ! jure-t-il. Je n'y comprends rien. Le moteur s'est emballé d'un seul coup !

Spidi Dimilwatt, réveillé en sursaut, est en train de prendre l'air sur le pont. Surpris de la vitesse inhabituelle du *Coriace*, il regarde son sillage. Soudain, il s'exclame :

– Par le grand bigorneau ! *Le Tiramisu* a disparu !

Prévenu par Aristide, Boniface arrive à son tour à l'arrière du remorqueur.

– Tout s'explique. Le cordage s'est rompu. Demi-tour, les enfants. On retourne chercher *Le Tiramisu.*

Il faut une partie de la nuit pour relier à nouveau les deux navires. Ils reprennent la route, mais, au matin, le vent se lève et ralentit leur marche.

Paméla est très contrariée par ce retard. Tout le monde doit supporter sa mauvaise humeur. Boniface ne va pas assez vite, Toni Belcanto n'a pas retrouvé le bandit, Lou ne fait pas ses devoirs et Anastasie traîne la nuit dans les couloirs.

– TOC, TOC !

Paméla va ouvrir et se retrouve face à Gédéon Le Brutal et Marius Tapobec, grimaçant leur plus beau sourire :

– Chère Paméla Diva. J'espère que nous ne vous dérangeons pas ? Nous venons vous demander, de la part des autres passagers, si vous voudriez bien donner un petit récital, ce soir, dans la grande salle du restaurant.

– C'est que j'ai beaucoup de travail.

– Beaucoup de travail, beaucoup de travail, répète le perroquet Pipo dans son dos.

– Allons, juste une chanson ! On n'a pas souvent l'occasion de voyager avec la grande Paméla Diva. Vous nous feriez tellement plaisir…

– Tellement plaisir, tellement plaisir, répète Pipo.

Paméla hésite, mais elle est flattée.

– Entendu. Je vais organiser ça avec M. Toni Belcanto. À ce soir, messieurs.

Les deux gredins repartent.

– Parfait ! dit Gédéon Le Brutal. Elle sera bien occupée ce soir. On aura tout le temps de s'occuper de son sale perroquet.

5

Le soir venu, la salle du restaurant se lève pour applaudir Paméla, qui fait son entrée au bras de Toni Belcanto.

– Quel succès, chère Paméla ! J'ai fait servir du champagne pour ce dîner de gala.

– C'est étrange, dit Paméla, je n'aperçois pas mes deux charmants admirateurs de ce matin.

– Tant pis pour eux ! Ils n'avaient qu'à être à l'heure. Alors, qu'allez-vous nous chanter, chère Paméla ?

– Quelques chansons de *La fiancée du gondolier.* Mais je dois vous prévenir, il y en a une qui fait un peu peur, dans la scène de « la dame blanche ».

– Et pourquoi devrions-nous avoir peur ?

– J'y joue le rôle d'un fantôme et ma voix doit monter dans l'aigu. Vous verrez, c'est saisissant.

Tout le monde se rassoit. Paméla se place près du piano et commence à chanter. Le public succombe dès le premier couplet. Après quelques chansons, la diva entonne enfin l'air de « la dame blanche ». Elle y met

tout son cœur. Sa voix monte si haut que les coupes de champagne explosent les unes après les autres. Dehors, une douzaine de mouettes, touchées en plein vol, tombent à l'eau.

À la dernière note, Paméla s'incline pour saluer. Le public répond d'abord par un silence médusé. Certains se demandent d'où vient le sifflement dans leurs oreilles. Puis c'est un tonnerre d'applaudissements.

– Ma chère Paméla, la félicite Toni Belcanto, votre voix est extraordinaire ! J'en tremble encore de peur et de plaisir.

Après le dîner, Toni Belcanto raccompagne Paméla Diva.

– Bonne nuit, chère Paméla. Je suis sous le charme. Lorsque nous serons à New York, j'irai tous les soirs vous écouter au théâtre.

– Bonne nuit, commandant. Faites de beaux rêves.

Toni regagne le poste de pilotage en sifflotant. Soudain, il entend un cri terrible,

un cri à glacer le sang, un cri à réveiller les morts…

– PIPO !

Il revient sur ses pas.

– Pipo, on a volé mon Pipo ! sanglote Paméla en se jetant dans ses bras. Comment vais-je répéter sans lui ?

– Il s'est sans doute perdu, répond Toni pour la réconforter. Ne vous inquiétez pas, je vais faire poser des affiches, nous allons le retrouver.

Hélas ! les jours passent et Pipo n'a pas reparu. Personne ne l'a aperçu ou entendu. Or, il est rouge vif et bleu pétrole, et c'est un incorrigible bavard. Plus on approche de New York, plus Paméla devient nerveuse.

Une nuit, Lou entend Anastasie gratter à la porte. Elle s'habille discrètement pour la rejoindre. Anastasie l'entraîne dans la cuisine du restaurant et se glisse sous une table.

– Tu veux qu'on se cache ici ? Mais pourquoi ? chuchote Lou.

Anastasie lève un doigt devant sa bouche. Marius Tapobec et Gédéon Le Brutal entrent. Gédéon ouvre un placard et vide

le contenu d'une boîte de cacahuètes dans un sachet.

– J'en ai assez de nourrir ce perroquet de malheur. Il ne pense qu'à manger.

– Je crois que notre chère Paméla Diva est à point. Ça fait une bonne semaine qu'elle n'a pas revu Pipo, et la nuit prochaine, on arrive à New York. Il est temps de lui écrire un petit mot…

Chère Madame,

Si vous voulez revoir Pipo, mettez trente mille dollars dans l'enveloppe que voici et déposez-la, demain à minuit, dans l'armoire à pharmacie de l'infirmerie.

Signé : votre admirateur.

P.-S. : Ne trichez pas, ou vous ne reverrez jamais Pipo.

– Ah ! Que vais-je faire cette fois-ci, cher Toni ? s'écrie Paméla en lui tendant la lettre.

Toni Belcanto prend un air important pour réfléchir.

– Ce voyou est un imbécile. Suivez ses instructions. Mettez de vrais billets dans l'enveloppe pour ne pas éveiller ses soupçons. L'infirmerie n'a qu'une entrée et l'armoire à pharmacie n'a qu'une porte : nous le coincerons quand il comptera les billets. Pensez à votre rôle, à la gloire qui vous attend. Moi, je m'occupe du reste.

– C'est ce qui m'inquiète un peu…

On aperçoit enfin au loin les lumières de New York. *Le Coriace* et *Le Tiramisu* y arriveront au milieu de la nuit. Paméla a rempli l'enveloppe avec trente mille dollars, soit toutes ses économies. Elle sort de sa cabine et rentre aussitôt en poussant un cri : elle vient de voir passer un horrible fantôme ! Elle se cache sous le lit. Horreur ! L'apparition frappe à la porte.

– Maman Paméla, c'est moi, n'aie pas peur ! dit Lou en soulevant le drap qui la cache.

Paméla se relève en colère.

– Lou ! Tu m'as fait une peur bleue ! Tu crois que c'est le moment de s'amuser à des bêtises pareilles ? Et tu es encore avec Anastasie ?

– Maman Paméla, Anastasie a trouvé la cachette des voleurs. Ils sont deux, et on a reconnu Gédéon Le Brutal. (Anastasie fait oui de la tête.) Mais surtout, on a une idée pour les piéger.

Pendant que Paméla reprend ses esprits, Lou lui explique son plan…

À minuit, Paméla Diva se rend à l'infirmerie du *Tiramisu.* Elle passe devant les matelots embusqués sur les ordres de Toni Belcanto en haussant les épaules: on les voit comme le nez au milieu de la figure. Elle glisse l'enveloppe entre deux flacons de l'armoire à pharmacie et repart sans jeter un regard en arrière.

Les matelots attendent.

Rien.

Personne.

6

Ils peuvent bien attendre cent ans devant la porte, si ça leur chante. En fait, c'est dans la cuisine qu'il se passe quelque chose…

Quelqu'un enlève un panneau découpé au préalable dans la cloison.

C'est Marius Tapobec. Par l'ouverture ainsi produite, il accède à l'intérieur de l'armoire à pharmacie. Il s'empare de l'enveloppe, replace le panneau, traverse comme une ombre la cuisine, descend trois volées de marches, tourne deux fois à gauche, enfile un couloir, monte un escalier, pousse une porte, tourne à droite, redescend par une échelle de fer, ouvre une dernière porte et retrouve Gédéon Le Brutal.

– Alors ? Tu as l'argent ?

– Oui ! Et cette fois-ci, c'est des vrais billets !

– On est riches !

– On est rrrriches ! répète la voix haut perchée de Pipo. On est rrriches !

– J'ai bien envie de tordre le cou à cette sale bête, gronde Gédéon en l'attrapant dans son gros poing. Elle m'a encore mordu pendant que je lui donnais à manger !

– Encore un peu de patience, répond Marius en entourant le bec de Pipo avec du sparadrap. On est arrivés à New York. Il faut descendre avant les passagers. On va attacher maître Pipo sur la passerelle arrière et lui enlever son bâillon. Il ne pourra pas s'empêcher de rameuter du monde. Avec tout le raffut qu'il va faire, on aura tout le temps de descendre par l'autre côté.

– Marius, tu es un génie. Allons-y.

Les deux bandits sortent en silence.

Soudain, au détour d'une passerelle, apparaît le plus terrible, le plus effrayant, le plus lugubre des fantômes jamais vus, de mémoire de cambrioleur. Un grand suaire blanc le recouvre, et, tout en haut, une minuscule tête de mort les fixe de son regard vide. Mais cela n'est rien. Le plus horrible, c'est l'abominable cri de guerre que pousse cette créature.

Les deux bandits en lâchent l'enveloppe et le perroquet. Ils détalent à toutes jambes en hurlant de terreur. Ils ouvrent un hublot et se jettent dans le vide.

– PLOUF ! PLOUF !

Les voilà qui s'enfuient à la nage dans l'eau sale du port.

– Bon débarras ! s'écrie Lou en pointant la tête sous le drap.

– Ouf ! Je n'ai plus de souffle ! s'exclame Paméla, rouge comme une tomate. Je crois n'avoir encore jamais poussé ma voix aussi haut.

Elle se tourne vers Anastasie et lui applique deux grosses bises sur ses joues osseuses.

– Pardonne-moi, Anastasie. Je ne dirai plus jamais de mal de toi.

Pipo roule des yeux désespérés.

– Oh ! mon pauvre Pipo ! dit-elle en tirant sur le sparadrap. Ces voyous t'ont fermé le bec !

– D'habitude, dit Lou, c'est un vrai moulin à paroles. Ça fait bizarre de ne pas l'entendre.

– Bizarrrre ? Tu as dit bizarrrrre ? Comme c'est bizarrrrrrre ! imite Pipo.

– Ce qui est bizarre, ajoute Boniface qui vient d'arriver, ce sont les drôles de poissons que la police trouve dans ce lieu.

Et tous éclatent de rire en voyant les deux bandits repêchés par une vedette de la police.

PAMELA DIVA
Pamela Diva
GRAND THEA
EL DORADO

7

Le grand théâtre de New York est plein à craquer. Tout le monde veut entendre Paméla Diva dans son nouveau rôle, *La fiancée du gondolier.* Une loge entière est réservée à l'équipage du *Coriace.* Titus Topinambour, Spidi Dimilwatt, Ticho Dubayou et Aristide Mégahertz ont mis leurs habits du dimanche ; Boniface, sa veste d'apparat.

La salle est comble. Toni Belcanto a offert un billet à tous les passagers du *Tiramisu.* Anastasie, ravie, cliquette de tous ses os, car c'est la première fois qu'elle va au théâtre.

Elle serre la main de Lou qui est très fière de voir jouer sa maman.

Le premier acte est une merveille. À l'entracte, Paméla regagne sa loge, où trône un gigantesque bouquet de roses offert par Toni Belcanto. Elle change de costume

pour le deuxième acte. Le rideau se lève. L'orchestre attaque l'air de « la dame blanche ». « Il faut vraiment que je les impressionne », se dit Paméla.

Sa voix est d'abord un murmure, puis elle gonfle, enfle et vibre aussi fort qu'une sirène d'alarme.

Au même moment et tout à fait par hasard, une gigantesque panne d'électricité plonge la ville dans le noir. Le théâtre se vide dans la panique, des embouteillages monstres se forment aux carrefours privés de feux de signalisation.

Le lendemain, tous les journaux se passionnent pour ces deux événements :

« Les lumières de la ville soufflées par la flamboyante Paméla Diva », « Paméla Diva, la voix qui met les cœurs à la renverse », « Paméla Diva dans *La fiancée du gondolier*, une peur délicieuse », « Paméla Diva, le grand frisson de la dame blanche ».

Mais il y a aussi ce titre en dernière page : « Marius Tapobec et Gédéon Le Brutal, deux redoutables bandits, profitent d'une panne d'électricité pour s'évader de prison. »

Le dimanche suivant, Boniface invite tout son petit monde à bord du *Coriace* pour pique-niquer dans une île.

– Je crois que je vais rester plus longtemps que prévu à New York, dit Paméla. Le directeur du théâtre est tellement content qu'il prolonge les représentations. Les spectateurs attendent avec délices le frisson de la dame blanche. Les gens adorent avoir peur.

– Je vais devoir rester encore un peu aussi,

PIER 5
5

dit Toni Belcanto en lui prenant la main. Il faut démonter entièrement le moteur du *Tiramisu* pour le réparer. Cela va demander plusieurs mois.

– Boniface, je peux compter sur toi pour t'occuper de Lou et d'Anastasie ? demande Paméla. Tu sais comme la vie d'artiste est compliquée…

– D'accord, dit Boniface d'un ton bourru.

– Chic ! s'écrie Lou en sautant à son cou.

C'est le moment que choisit Ticho pour poser sur la nappe ses fameuses crevettes à la diable, qui font le régal de tout ce petit monde.

– Quand même, s'interroge Titus Topinambour en se léchant les doigts, cette panne d'électricité, c'était vraiment bizarre, vous ne trouvez pas ?

Et Pipo, le perroquet, répond, en ébouriffant ses plumes :

– Bizarrre ? Tu as dit bizarrre ? Comme c'est bizarrrrre !

Fin

François Place, né en 1957, a fait ses études à l'école Estienne, à Paris, avant de devenir illustrateur. En 1992, il passe à l'écriture de fiction avec un premier album remarqué, *Les derniers géants*, couronné par de nombreux prix. En tant qu'illustrateur, il collabore avec les plus grands auteurs : Michael Morpurgo, Erik L'Homme, Timothée de Fombelle.
En 2010 il publie, avec succès, son premier roman, *La douane volante*, paru en Grand format littérature. Il a aussi illustré *La chèvre de M. Seguin*, *Le petit garçon qui avait envie d'espace*, *La Belle au bois dormant* dans la collection Folio Cadet *premiers romans*.

www.francois-place.fr

Lou Pilouface

Folio Cadet premiers romans n° 617

« Nom d'un pipi de baleine ! » s'exclame, furibond,
le capitaine Boniface Pilouface lorsqu'il découvre
le drôle de matelot embarqué sur son navire :
Lou, sa turbulente nièce ! Et il va bien falloir
s'accommoder de cette sauterelle de lavabo.
En pleine mer, le navire reçoit alors
un appel de détresse…

À suivre, les prochaines aventures de

En route pour la Louisiane
avec grand-mama Dynamite !

ISBN : 978-2-07-066129-9
N° d'édition : 267400
Loi n° 49-956 du 16 juillet 1949 sur les publications destinées à la jeunesse
Dépôt légal : septembre 2014
Imprimé en Espagne par Novoprint (Barcelone)